UN PENSAMIENTO EQUIVOCADO

UN PENSAMIENTO EQUIVOCADO

la revelación hacia la luz

JAELYN D. JORDAN

Djs legacy incorporated

CONTENTS

First Printing, 2023

Desafíame

Desafíame Llena como la luna en su apogeo, ¡mi fe brilla! Una pasión que generó esperanza dentro Fe, manteniendo mi mente abierta para imaginar. Una luz guía por la que oré, una luz que ahora veo, Pero, ¿qué pasa si esta luz que veo no brilla sobre esta reliquia porque es lo que necesito, sino que brilla sobre ella porque ese es el obstáculo, el objeto que me desafía. Una luz guía por la que oré tan llena como la luna en su apogeo, lista para brillar para inspirarme y desafiarme.

Vuela libre

Vuela libre Intento esforzarme por tener éxito, pero esta vida no es para mí, me siento enjaulado como un pájaro y rezo para que algún día yo también pueda volar libre, pero ¿a qué precio? ¿La libertad viene a mí, actuando por impulso que uno no puede entender? ¿Por qué todo lo que deseo es otra mujer u hombre? Una fusión de mentes es lo que creo que busco, pero nuevamente, ¿a qué costo para mí? Realmente estoy asustado y temblando ante la idea de que podría perderte, por algo que la historia me ha mostrado que es lo que solíamos hacer, y sí, cuando las palabras salen de mi boca puedo llegar a decir te amo, pero Mira dentro de mis pensamientos, te estoy perdiendo, dejándome estancado, varado en mis pensamientos, sintiéndome desesperado como si no supiera qué hacer, pero con todas mis preguntas de y si me diera cuenta que nada vale ni siquiera un deseo perdiéndote, así que debo ser un pájaro atrapado porque ciertos pájaros no están preparados para volar libres.

La muerte pasará factura

Deja que tus verdaderos deseos se queden sin satisfacer & La muerte pasará factura.

Drenaje

Dar, dar, dar Quitándome constantemente, ¿Por qué debo sentir que cuidarte es mi responsabilidad sin gratitud? sin embargo, sangro por ti, ¡Egoísta eres! Ojalá pudiera ser como tú, Ojalá pudiera competir contigo, Dando tanto de mí lo que me queda ¿Cuándo puedo respirar? Hundiéndome, ahogándome por el peso de mis propias penas porque mi corazón sólo quiere ser alimentado.

Amor transparente

Es trágico cómo mi amor tiende a desvanecerse, No dejando nada más que un dolor eterno en mi camino, ¡tan puro, perfecto y verdadero! Sin embargo, es triste decir que ya no te quiero, no son riquezas. Deseo que seguro puedas brindar, no es la protección o el amor que puedas brindar sino la falta de aventura, la falta de conocimiento. Borde del mundo exterior, la visión del mundo por sí sola es conocimiento, conocimiento no dado por los hombres sino por la fe y es esta aventura la que no deseas dejarme participar. No importa cuán perfecto o cuánto amor, nada se compara con el amor de quienes buscan emociones fuertes.

Hombre de poesía

De mis labios brota sabiduría. De mi corazón surge la compasión y la fe. De mi tacto surge el oro y de mi presencia la paz, no porque Pienso muy bien en mí mismo o porque la gente que conozco me da palmaditas en la espalda, sino porque cuando vengo a hablar, hablo de palabras de sanación y luz, cuando uso y abro mi corazón, limpio la oscuridad y el dolor, y Cuando uso mis manos, estoy ayudando a construir un ¡Nueva vida para todos nosotros, para todos corriendo y buscando algo, buscando fuerza! Buscando el verdadero propósito de la vida, a través de mis palabras, por gracia, a través de la fe, seré tu luz guía.

Influyendo en mí

A veces solo quiero derrumbarme y llorar Sólo quiero rendirme, he hecho todo lo posible para controlar mis pensamientos pero necesito ayuda, Señor. Alguien por favor ayúdeme, sé que no es responsabilidad de nadie más que mía, pero no puedo hacerlo solo porque estoy demasiado perdido. Estoy tratando de escapar de esta prisión mental pero mis demonios no me dejan. Se aseguran de que me ahogue en la miseria que me creé bloqueándome de Bendiciones de Dios, no permitirme ser mi mejor yo, nublar mi mente con pensamientos negativos y percepciones falsas, conseguir mi Espero robar cada pedacito de felicidad que se me presente como si fuera una especie de broma. ¿Cómo puedo seguir riéndome de mi dolor cuando el dolor sigue empeorando? No se cuanto tiempo puedo aguantar caminando con una sonrisa así que pido desde el cielo que llenen mi corazón de amor y mi mente de paz porque el dolor del mundo está influyendo negativamente en mí.

Vacío interior

¿Qué es este nuevo vacío que siento por dentro? Un sentimiento insatisfecho, tirándome y arrastrándome con cadenas por la calle para que todo mi sufrimiento quedara al descubierto como si mi dolor representa un buen programa de comedia para el mundo, ¿qué estoy buscando? ¿Paz? ¿Amar? ¿Felicidad? No, estoy buscando volver a sentir algo, sentir cualquier emoción, porque mi alma es negra, no hay vida dentro, solo almas perdidas tratando de sobrevivir, ¿cómo puedo alimentar este vacío interior? Nada, ni siquiera mi fe me hace sentir viva. Me siento tan muerto por dentro.

Niebla eterna

Perdido en una eterna niebla de humo, todo es una máscara. Sonriendo para las cámaras como si mi dolor se hubiera desvanecido. Tratando de lograr el sueño supremo, pero a qué costo para mí, superando el dolor de espalda y los pies doloridos solo para poder comer, esta vida no es para mí. pero prometí compartir mi palabra, mi mensaje con el mundo para liberarme de este dolor, pero incluso eso tiene un costo. Tú ¿Alguna vez te has preguntado por qué yo? Bueno, estoy harto de reflexionar sobre cómo sería una vida feliz, ha sido escrita para mí, quiero disfrutar del amor, de la dicha, Si quieres disfrutar de las riquezas supremas de los dioses, ¿no ves que la vida en la tierra era el punto de ruptura, una guía para poder transmitir un mensaje de que las cosas materiales en la tierra estamos formadas solo para roer tu alma, una distracción para cegarte del propósito de uno.

poseerte

¡Construye el mundo que te rodea y deja que todos te abracen!

creciendo

¿Qué significa crecimiento? Diciéndote constantemente a ti mismo que tal vez estás cambiando. ¿Quizás no está actuando por impulso? Y si el crecimiento simplemente no estaba cambiando sino que se detenía. cuando piensas en Al crecer como individuo, piensas en cambiar lo que tiene de malo. convertirte en lo que piensas, ¿es esto mejor persona, pero qué pasa si cambiar lo negativo de ti mismo para crecer te lleva por el camino de olvidar quién eres en general? ¿Entonces que? Entonces ahora pregunto qué significa crecimiento, qué significa crecimiento dentro de la mente, el cuerpo y el espíritu, cuál es el ancla entre la luz y la oscuridad. La respuesta es Amor.

Amor verdadero

Alegría, un sentimiento que perdí pero encontré, Un amor que crece desde lo más profundo de mi columna, Tratamiento y cuidado como en los primeros tiempos, Un amor que es verdadero, Un amor que es gratis, Un amor que hace canciones sobre amarme, Un amor que reavivó el partido de la pasión y abrió mi corazón. Tantas malas semillas antes de ti y chico, estaba ciego a quién pensaba que amaba o qué era el amor, ¡pero ahora veo! Es la sonrisa que veo cuando cierro los ojos. La falta y el anhelo de tu toque. El sonido de tu respiración y los latidos de tu corazón, ¡eres lo que me faltaba! ¡Esto es lo que me falta! Un amor que nunca conocí ni vi hasta que este amor me vio a mí.

Guerra innecesaria

Una persona sin rostro que yace bajo mis pies Luchando por el derecho a vivir y respirar, Mientras fui testigo y vi a toda mi familia sangrar, los gritos de los niños lloraban en el humo. Heridas de bala, agradezco que no me perforó la garganta, Dios mío, ¿qué es esto? Un soldado de la noche que está librando una batalla. eso no es mío, mientras mi familia está atrapada en un país al que ni siquiera pertenecemos, uno le prohíbe salir y otro le ataca para respirar, ¿mi vida no es más que otra? un hombre que no es tuyo El país debe servir pero una mujer mía no puede irse, en cualquier país no somos libres, ¡y esta lucha! Esta guerra está pasando factura a mi cuerpo y a mi mente, oro para que Dios se filtre en mis pesadillas en los sueños del presidente para que viva con mi constante agonía.

pensamientos consumidores

A medida que pasa el tiempo, mi mente sigue dando vueltas para representar mis mayores miedos, para ahogarme en toda desesperación. Uno podría pensar que, después de todo lo que escribí sobre la depresión y las enfermedades mentales, la vida para lidiar con ellas sería simple o se volvería más fácil a medida que pasa el tiempo. Sigue adelante, pero se vuelve más difícil, tus pensamientos oscuros te consumen y los placeres simples que utilizas para obtener de la vida simplemente parecen no tener sentido. Lo único que quieres es ahogarte, asfixiarte, morir, pero morir significaría suicidio. Lo cual lo vería como una opción si tanta gente no me llamara egoísta o me condenara al infierno, pero claro, estoy en el infierno atrapado y encerrado por la mente de uno atrapado tratando de liberarse, gritando, gritando. Gritando pero nadie para ayudarme. Uno pensaría que las oraciones para aclarar mi mente y sanarme funcionarían, pero ¿y si la respuesta a mis oraciones realmente estuviera debajo de mí? Al borde del acantilado y tenía demasiado miedo de saltar y de compartir estos pensamientos porque lo único peor que la muerte es estar encerrado. Que me llamen loco es lo que dirán o te buscaré ayuda pero la ayuda que necesito aquí no la ofrecen, por es la depresión. y luchar dentro de

mi mente que me consume cada día y cada día hasta con mi sonrisa
vence.

Agradecido

Las palabras no pueden expresar lo agradecido que estoy por ti, en más de un sentido encontré consuelo y consuelo en el amor que me diste. Eres compasivo, humilde, honesto y fiel a ti mismo, algo más allá de la admiración. No podría haber pedido una mejor versión de un ángel a plena vista que tú. Estoy emocionado por este viaje contigo y muy feliz hasta el punto de jurar que podría morir un poco de felicidad en este mismo segundo. dramático lo sé, pero aun así me trae a decirme tu todo sexy y eso - ¡Te amo!

Incondicional

¡Nunca en un millón de años me hubiera imaginado encontrando el amor, mejor aún, siendo amado! años incondicionalmente He tratado de enmascarar quién era y mezclarme con los demás para agradar o conseguir la atención y el reconocimiento que merecía. Pasé toda mi vida infancia y hasta hace poco toda mi vida adulta, cuidando de los demás y poniendo mis propias necesidades perdura mental y emocionalmente pensando que no importa cómo me sintiera ahora mi dolor desaparecería. Si pudiera darles algo que nunca tuvieron, mejor aún si pudiera Dale a mi mamá parte de su pasado que ella perdió al permitirle sus malos hábitos. ¿Quizás eso sería suficiente paz? Estaba perdida, perdí de vista quién quería ser, mejor aún, había perdido de vista al hombre con el que había soñado. convirtiéndose hasta que te conocí. Me viste por lo que era solo un hombre de corazón abierto con una visión, no me viste como una alcancía o un saco de boxeo emocional, me viste por lo que pareció la primera vez en mucho tiempo, sentí una calidez real en mi corazón, me sentí genuino amor incondicional. Sé que a veces puedo ser muy orgulloso y Siento que puedo hacer todo por mi cuenta, pero agradezco que estés dispuesto a emprender este viaje conmigo y que podamos saberlo todo. de los defectos del otro y a veces chocan, pero eres el amor de mi vida y no importa lo que pienses, no te cambiaría por nada del mundo. Sé que vas a odiar que cuando discutamos te sonría en la cara. Demonios, sé que eso te enojará y no lo hemos hecho. Ya llegué allí jajaja, pero honestamente, lo siento, pero si vieras lo que veo, tú también sonreirías. Veo a un individuo compasivo y afectuoso con una Sonrisa ruda y labios sexys, ¿por qué si no crees que siempre trato de besarte? A mitad de la frase, veo a un joven impulsado por su carrera que también lucha con las suyas, pero constantemente antepone las necesidades de los demás a las suyas propias. Lo más importante es que cuando te miro veo mi futuro, veo a mi marido y no importa lo que pases ni cuánto dolor y problemas tengas. Estás dentro, estaré a tu lado ayudándote a limpiar el desorden, ya que elegiste emprender este viaje conmigo. Yo elegí emprender el mismo viaje contigo, te amo, mi amor, por siempre jamás.

Orgulloso y verdadero

Un amor profundo y verdadero. Un amor que te llena, Un amor que te llena y te vacía. Algo dentro de tu alma te une A algo que es tan profundo y tan cierto. Algo real, algo eterno. Algo que se mantiene fuerte a pesar del paso de los tiempos. Para ver los defectos del pasado y mirar más allá del dolor Amar de verdad a pesar de todo el abandono. Cuidar a pesar de todo el descuido. Decir la verdad a pesar de todas las mentiras. Una luz brillante que brilla a través de la oscuridad. Una llama cálida que protege y reconforta a sus habitantes. Una calidez que trae salud. Una salud que aporta seguridad A los pensamientos que reclaman y alimentan la enfermedad. Un amor orgulloso y verdadero. Un amor que eres tú.

un poema para ti

Podría pasar un rato hablando de lo que me hace verte, pero no lo haré. O pasar horas hablando de cómo algo tan simple como ver cómo las cadenas reposan en tu pecho me excita pero no puedo o de cómo inevitablemente cada día te encuentro más atractivo. ¿Obsesión? Tal vez. ¿Pero por qué siento que eres parte de mí? Pero, ¿por qué considero míos los sentimientos de alguien que nunca sentí? ¿Por qué no puedo simplemente dejarlo ir? Si realmente fuera solo enamoramiento, ¿por qué se me pasarían por la cabeza estas preguntas? Verdad Reflexiono sobre cómo serían nuestras vidas en el futuro. Cuando sueño despierto, lo imagino Luego me deslizo en un espacio oscuro A la mayoría le dolería ver a la persona de la que están enamorados darle ese amor, atención y afecto mientras ya no pueden sentirlo y deben sentarse a mirar y simplemente estar bien. En el fondo espero el día en que despierte y me dé cuenta de que ya no te quiero, pero temo que ese día no llegue. Pero nuestro presente no se alinea con el futuro que imagino Y aunque me veo legalmente vinculado a usted con hijos en el futuro Mi integridad, orgullo y rostro no pueden tocar el suelo. Porque me niego a recogerlos porque me obligaste a dejarlos.

perdido

Me he rendido Sigo encontrándome luchando en el pecado Ya no puedo respirar, con tanto dolor estoy entumecido ¿Qué me hará feliz? ¿Qué liberará mis pensamientos? Estoy luchando, no puedo respirar ¿Es mi culpa? Dios ayúdame.

El diablo disfrazado

No me tientes, soy el diablo disfrazado. Mientras los tiranos caen entre sus cenizas, yo me levanto. Una mente estable que se desvanece, que cuando es provocada deja cuerpos a su paso, Anda con cuidado cuando esté cerca y ve mi sonrisa como falsa, porque cuando me miras a los ojos, son las almas las que anhelo. No me tientes porque soy el diablo disfrazado, seducido y atraído por mis palabras hacia ti. Tumba será tu destino, la manipulación es clave para mantener este mundo. y la muerte es clave para empezar de nuevo, porque la vida humana para mí no es más que un zoológico de mascotas. ¡No me reconozcas, ódiame! porque me hace fuerte, menospreciarme o llorar porque esas son notas claves, palabras de mi canción favorita. No me veas como tu salvador porque estarás equivocado, porque no soy nada menos que el diablo disfrazado.

Un mejor yo

¡Elijo ser libre! No más perseguir un sueño o una imagen de lo que podría hacerme feliz. Elijo ser libre, abrazar el amor y la luz. Eliminar todos los rasgos tóxicos dentro de mí de los que soy consciente, aceptar el cambio, no dejar que mi pasado obstaculice mi futuro. Elijo no conformarme porque estoy harto de que me lastimen, sino seguir adelante la oscuridad que pesa mucho en mi mente y corazón. elijo ser mejor, ser alguien digno de ser recordado, alguien digno de ser amado.

Úselo antes de perderlo

Más allá del trauma, mirando hacia atrás en el tiempo, dime ¿cómo sabes que no has renunciado a lo que Dios ha creado y te ha regalado? ¿tú? ¿Y si? Surgen preguntas, cuando estamos solos reflexionando en la oscuridad, pero luego piensas en lo que desencadenó la lista de desafíos que Enfrenté, los desafíos que superó y luego pregunto de nuevo, más allá del trauma, mirando hacia atrás en el tiempo. Dime, ¿cómo te conoces? ¿No has renunciado a lo que Dios te creó y te regaló?

Cargas enterradas

Consumo mis miedos para disfrutar de la luz, ahogo mis penas para poder volar libre.

Un nuevo tú

Dentro de un momento desencadenante Ahora veo, nuestro dolor en las articulaciones que había manchado nuestro pasado, nuestro crecimiento personal y nuestra autorrealización provenientes de relaciones que Pensé que no podíamos pasar. Recé para que alguien completara Yo oré para que alguien me perfeccionara y te tengo a ti. Mi tiempo contigo ha llenado mi corazón, mi tiempo contigo ha llenado mi alma, tu sonrisa es mi dicha. Conozco tus dolores como el mío, pero tengo Tú ahora, déjame recoger los pedazos de tu corazón del suelo, déjame recuperar los recuerdos de pura felicidad, déjame verte desde mi punto de vista, ya que siempre llegaré a verlos y comprenderlos a todos.

Un sueño hecho realidad

Solo quiero que me miren con puro amor en tus ojos, soñando despierto con esos dientes blancos como perlas, anhelando el eco de tu voz en mis paredes y la cálida sensación de tu toque. Sentir mi cuerpo, calentarte cuando estás cerca, sentir tu aliento en mi cuello, solo derretir mi corazón, Qué sueño hecho realidad.

Autodestrucción

Me puse en un camino para descubrir mi verdadero yo, para abrazar el amor y mi futuro a través de los ojos y los sueños que yacen en lo profundo de mi mente, pero una y otra vez, cada vez que me acerco a lo que busco. Tiendo a perderlo e inevitablemente termino donde comencé. He llegado a aceptar que soy quien soy, en más de un sentido, pero ¿es así? Porque soy quien soy, nunca puedo encontrar al indicado, ¿o es solo eso? ¿Cuando me acerco tanto a mis inseguridades personales, mi trauma pasado me hace alejarte? ¿Puedes abrir mi corazón para confiar? ¿A la verdadera definición del amor? O ¿Es autodestrucción?

Negación

Negación, una palabra de seis letras que me causa estrés, una palabra que me hace sentir inadecuado para estar contigo. Una palabra que me respalda en el rincón de mis penas y me hace sacar a relucir el ego y el orgullo de mi pareja para pelear la buena batalla por mí. Negar es una palabra que me duele, y aunque quizás no me estés negando por completo, sólo ese defecto o dos que ves, mi mente y corazón solo ve y oye que no me quieres. La negación es una palabra que me hará terminar solo, por esa palabra que salió de tu lengua, no importa si no me ibas a dejar, te digo que ya terminé.

Un viaje incansable

Me encuentro en un viaje incansable, varado y solo. Buscando cualidades profundas dentro de mí para hacerme completo, buscando autocontrol. Constantemente no se cumple la propia misión, desvirtuado por los objetos en el camino, recostándose sobre los cuerpos cuando los pies se cansan. en lugar de imponer las manos. Un viaje incansable en el que me mantengo, Con poca ambición, me encuentro extendiendo mis manos por algo. alguien que me recoja para que ya no tenga que hacer esta caminata, la falta de autoestima El control es lo que me deprime, la falta de ambición es lo que me mantiene desmotivado, pero la imposición de manos y no sobre los cuerpos es lo que me ayudará a superar este viaje.

Un último baile

¿Cómo puedo saber si el amor es real? ¿Es lo que siento cuando me besas? ¿Es la forma en que sonrío cuando me dices que me extrañas? Cómo ¿Sé que es para siempre? Cuando llueve me das refugio, cuando estoy en mi peor momento me haces mejor. ¿Cómo sé que te importa? Cuando me ves caído, pasas tus dedos por mi cabello, pero ¿cómo podrías amarme cuando es difícil amarme a mí mismo? cuando miro Tú, veo la perfección, pero necesito ayuda. Este mundo y la gente que está en él me han roto. Veo una segunda oportunidad contigo. Tendré un último baile.

Amor o lujuria

¿Por qué el amor se siente tan bien y duele tanto al mismo tiempo? Vi lo mejor en ti y me quedé ciego. ¿Cómo vivo sabiendo que nunca seré suficiente? ¿Es amor o es lujuria?

Personalidades mixtas

Las mentes más inteligentes tienen 2 caras Cómo las aguas se mueven libres, cómo no envidio nada sin fuerza vital en movimiento, es la libertad que espero tener, la libertad de ayudar es lo que me hará libre. deslizándome entre los árboles, tratando de volar como los pájaros pero no me muevo muy lejos, Mi propósito es inaudito, mis miedos, mis dudas me mantienen débil, pero luego, cuando me enfado, no quieres conocerme, esa es esa sonrisa que tanto amas. es el encanto lo que te atrae hacia mí, pero esta cara tiene cuernos, cuando está enojado, le crecen cuernos. El agua se convierte en fuego y el vino en sangre, pero para construir un imperio sólo una cara puede sobrevivir. ¿Qué pasaría si la cara que Llevaba cuernos era amado tanto como el mío, ¿sería más lindo ese reflejo mío? ¿Qué pasaría si yo fuera tan simpático y feliz como mis otros? cara, ¿sería igual de feliz? ¿O incluso se burlarían más de mí por tener un tono de voz suave que define mucho mi sexualidad, mi tono suave que engaña a todo hombre, para llenar como el mundo debería arder en llamas por mi dolor, me hace mal, me hace un tirano pero ¿dónde está mi Defensor ¿Dónde está mi ayuda? Mi salvación está en mis manos. Es la cara que es más inteligente que dos mentes.

Odiar

Odio, odio la brecha de conocimiento que esta generación también nos limita. Odio el hecho de que nuestras hembras olviden la importancia de la higiene y luego esperen que nosotros, los hermanos, las cuidemos, o cómo las tratan nuestros hombres. nuestras mujeres cuando están embarazadas o después de dar a luz a nuestros hijos, odio cómo sigo viendo a los hermanos abusar de sus cónyuges en lugar de seguir adelante o hablar de las cosas, ¡lo odio! Tengo miedo del mundo que tanto aprecio, conmocionado y desconcertado por el dolor que veo en los ojos de todos, buscando el amor, por mucho tiempo. ing, un lugar en la vida, buscando la paz entre el caos y la oscuridad, tantas cosas negativas en este mundo, se vuelve fácil formar la palabra odio, que se priva de las verdaderas palabras amor! Un movimiento, un toque, una chispa de esperanza, un movimiento, un toque, una chispa de amor Un movimiento, un toque, palabras de fe. ¡Es todo lo que necesitas!

Buen día, Mi nombre es Jaelyn D. Jordan y muchas gracias por apoyarme en mi lucha para resaltar la conciencia sobre la salud mental. Para aquellos de ustedes que quizás no sepan que soy un terapeuta conductual registrado que ha establecido su esperanzas y deseos de combinar lo que más amo hacer en esta vida con los dioses propósito para mí! Realmente creo que eso está ayudando a todos en la tierra a comprender sus pensamientos, esperanzas, sueños, deseos y curar los miedos para que a la edad de 24 He decidido caminar verdaderamente por fe a través de la gracia y usar palabras de poesía y mis propias experiencias de sufrimiento de depresión maníaca, falta de estabilidad y apoyo y convertirlo en oro preciado para todos. por gracia a través de la fe, en un mundo lleno de oscuridad, Mi único deseo es ser ese rayo de luz para todos.

Milton Keynes UK
Ingram Content Group UK Ltd.
UKHW020754241123
433194UK00015B/854